Les cochons ne volent pas

D1461287

L'édition originale de cet ouvrage
a paru en langue anglaise chez Andersen Press
sous le titre :

PIGS CAN'T FLY

Les cochons ne volent pas

Texte de Nigel Gray
Illustrations de Carme Solé Vendrell

Texte français d'Evelyne Lallemand

HACHETTE
Jeunesse

Cochonnet était dans le bois. Le soleil brillait. La journée était chaude, mais sous les arbres, il faisait frais.

C'était le temps que Cochonnet préférait.

Comme il était content, il chantonnait :

« J'adore manger à longueur de journée. Si je le pouvais, je mangerais jusqu'à éclater ! Je déteste me laver de la tête aux pieds. Mais j'aime plus que tout me rouler dans la boue ! »

Ce jour-là, Cochonnet rencontra une abeille.

« Que fais-tu ? lui demanda-t-il.

— Je bois, répondit-elle.

— Que bois-tu ? demanda-t-il.

— La boisson préférée des abeilles, la plus exquise, la plus sucrée ! répondit-elle.

— Est-ce que je peux en goûter moi aussi ? demanda-t-il.

— Non, répondit-elle. Tu es trop gros pour en boire !

— Mais j'en veux ! insista-t-il.

— Tu es trop gros ! répéta l'abeille en secouant la tête et en se léchant les babines.

— Si seulement j'étais petit ! soupira Cochonnet. Aussi petit que toi !

— Le magicien de l'étang pourrait peut-être t'aider, répondit-elle. Mais il déteste la saleté, alors, si tu vas le voir, prends un bon bain avant. »

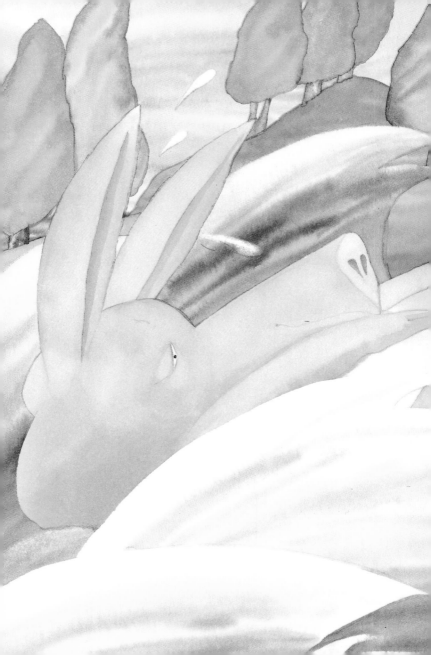

Cochonnet partit à la recherche du magicien. L'étang était loin, très loin. Cochonnet avait chaud, très chaud. Alors, pour se rafraîchir, il se roula dans la boue.

Quand il arriva à l'étang, il se souvint des paroles de l'abeille. Le magicien détestait la saleté, il sauta donc dans l'étang pour se laver.

Aussitôt une grosse voix coassante cria :

« Qui ose salir mon étang ? »

Cochonnet arrêta de se débarbouiller et regarda autour de lui.

Une grenouille, assise sur une feuille, lui faisait les gros yeux.

« Je cherche le magicien, dit Cochonnet.

— C'est moi ! répondit la grenouille. Mais que tu es sale et tes pieds sentent vraiment trop mauvais !

— Pardon, monsieur le magicien, dit Cochonnet.

— Que veux-tu ? demanda le magicien.

— Être petit, répondit Cochonnet.

— Aussi petit qu'un chat ? demanda le magicien.

— Encore plus petit ! répondit Cochonnet.

— Aussi petit qu'une souris ? demanda le magicien.

— Encore plus petit ! répondit Cochonnet. Je veux être aussi petit que l'abeille !

— Tu en es sûr ? demanda le magicien.

— Absolument sûr ! » répondit Cochonnet.

Le magicien fit trois tours sur lui-même, roula ses gros yeux et chanta :

« Les poissons font des bulles dans l'eau, les oiseaux volent tout là-haut, mais Cochonnet n'est pas satisfait d'être ce qu'il est !

— Ce n'est pas cela ! l'interrompit Cochonnet.

— Silence ! » cria le magicien avant d'ajouter :

« Grands sont les éléphants, petites sont les fourmis, et comme Cochonnet n'est pas content, qu'il devienne tout petit petit ! »

A ces mots, il sauta de sa feuille et, PLOUF ! disparut sous l'eau.

Autour de Cochonnet, tout se mit à grandir, grandir...

Un rideau de verdure se dressa devant lui. Il cligna des yeux et regarda mieux. Il était entouré de plantes hautes comme des arbres !

« Je ne suis pas sûr que cela me plaise d'être aussi petit... » pensa-t-il.

A cet instant, un bruit assourdissant retentit, et une abeille, aussi grande qu'un cochon, surgit. Elle lui fit peur, mais lui rappela aussi la plus exquise et la plus sucrée des boissons.

« J'en boirai juste une gorgée, puis je demanderai au magicien de me rendre ma taille », pensa-t-il.

Et il partit à la recherche d'une fleur.

C'est alors qu'apparut un chat.
Un chat de la taille d'un *éléphant* !
Cochonnet courut se réfugier derrière
une pierre.

Et qu'aperçut Cochonnet, dès qu'il quitta son abri ?

Une araignée deux fois plus grande que lui, qui avait l'air très affamée, un ver de terre, grand comme un serpent géant, qui se léchait les babines...

Cochonnet vit ensuite une mouche
grande comme un vautour.
La mouche aussi, semblait avoir très faim.
   Où qu'il tournât son regard,
quelqu'un de GRAND
cherchait à se mettre
un *petit* quelque chose sous la dent...

Et pourquoi un *petit* Cochonnet
n'aurait-il pas fait l'affaire ?

« Au secours, monsieur le
magicien ! » hurla-t-il.
Personne ne répondit.

C'est alors qu'il vit, loin au-dessus de lui, une fleur qui inclinait sa jolie tête.

« Rien qu'une gorgée avant de m'en aller », se dit-il.

Mais comment atteindre la fleur ?

« Les cochons ne savent pas voler, pensa-t-il. Les cochons ne savent pas grimper aux arbres... »

Pourtant, il essaya, mais ses sabots dérapèrent sur la tige et il faillit faire la plus belle chute de sa vie.

« Je ne veux plus goûter à la plus sucrée et à la plus exquise des boissons. Je veux rentrer à la maison », pleurnicha Cochonnet, et il courut jusqu'à l'étang, aussi vite que le lui permettaient ses petites pattes.

« Monsieur le magicien, je vous en supplie, rendez-moi ma taille ! cria-t-il.

— "Monsieur le magicien, je vous en supplie", voilà ce que j'entends à longueur de journée, ronchonna le magicien. Personne n'est jamais satisfait de son sort. Est-ce que je ne pourrais pas connaître une minute de paix ? En plus, je n'ai toujours pas déjeuné !

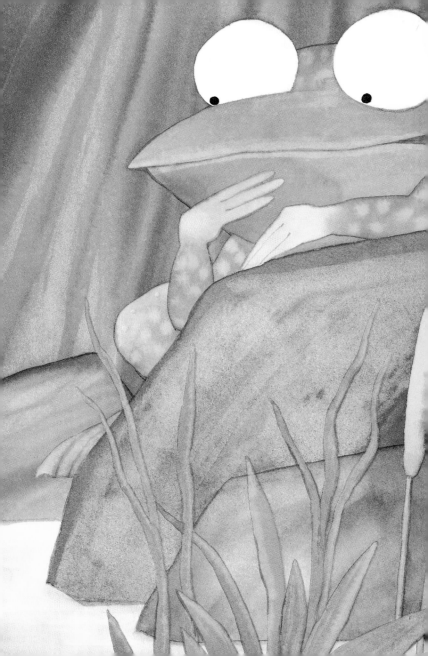

« Hum... continua-t-il. Tu es tout petit petit, mais tu dois être délicieux.

— Non ! hurla Cochonnet. Je ne suis pas délicieux. Pas délicieux du tout !

— L'ennui, ajouta le magicien, c'est que tu es sale et que tes pieds sentent vraiment trop mauvais... »

Il tourna trois fois sur lui-même, roula ses gros yeux et chanta :

« Les poissons font des bulles dans l'eau, les oiseaux volent tout là-haut, mais Cochonnet n'est toujours pas satisfait d'être ce qu'il est.
Grands sont les éléphants, petites sont les fourmis, et Cochonnet n'est pas content d'être aussi petit.
Croacadabra ! Que ce cochon mécontent devienne grand ! »

A ces mots, il sauta de sa pierre et, PLOUF ! disparut sous l'eau.

Autour de Cochonnet, tout devint de plus en plus petit.

Bing !

« Ouille ! »

Cochonnet venait de se cogner la tête contre la branche d'un arbre.

Il cligna des yeux et regarda autour de lui.

« Oh, non ! » soupira-t-il.

Un oiseau aussi petit qu'une mouche vint à passer non loin de là et...

« Bonjour, dit une grosse voix.
Qu'est-il arrivé à ta trompe ? »
Un éléphant regardait Cochonnet
droit dans les yeux !

Composition réalisée par C.M.L., Montrouge

Achevé d'imprimer par CLERC S.A.
18200 Saint-Amand-Montrond - N° 4806 - Mars 1992
ISBN 2.01.018484.X - Dépôt légal éditeur n° 6543